Colección Oído Leído
Idea y proyecto editorial: **Darío Stukalsky**
Dirección editorial: **Adela Basch** y **Darío Stukalsky**
Coordinación de autores y narradores: **Juana La Rosa**
Corrección: **Luciana Murzi**
Masterización del cd: **Luis Donati Producciones**
Diseño de colección y armado: **María Delia Lozupone**

© 2007 Ediciones Abran Cancha
Gorriti 3909 (C1172ACK)
Ciudad Autónoma de Buenos Aires
www.abrancancha.com
abran_cancha@hotmail.com

ISBN: 978-987-23451-3-6

© Hanna Cuenca, Cucha del Águila, Olga Drennen,
Beatriz Falero, Ana Ximena Hidalgo Castellanos,
Moisés Mendelewicz, Juan Patricio Romero Plaza

Latinoamérica en voz : cuentos y leyendas / Beatriz
Falero...[et.al.]. ; ilustrado por Pablo Cabrera. - 1a ed.
- Buenos Aires : Abran Cancha, 2007.

64 p. + CD ROM : il. ; 20x15 cm.

ISBN 978-987-23451-3-6

1. Literatura Infantil. 2. Tradiciones Populares. 3.
Narraciones Orales. I. Cabrera, Pablo, ilus.
CDD 398.2

Impreso en Argentina

Realizado con el apoyo del Programa para el Desarrollo
de Industrias Culturales y Diseño del Ministerio de
Producción del Gobierno de la Ciudad de Buenos Aires.

Latinoamérica en voz
cuentos y leyendas

ediciones abran cancha

Latinoamérica en voz

cuentos y leyendas

Hanna Cuenca, Cucha del Águila, Olga Drennen,
Beatriz Falero, Ana Ximena Hidalgo Castellanos,
Juana La Rosa, Moisés Mendelewicz,
Juan Patricio Romero Plaza

ilustraciones de:
Pablo Cabrera

Introducción

El editor

Los cuentos y las leyendas que integran esta antología pertenecen a la tradición oral de diferentes países de América Latina.

La tradición oral es aquella parte de la cultura que se transmite de boca en boca, entre vecinos, de padres a hijos, de abuelos a nietos. Son historias muy propias de la gente de cada lugar, caracterizadas por su registro idiomático propio, lo cual define la forma de hablar, de pensar y de comprender el mundo. En cada uno de los relatos podemos reconocer las costumbres de los habitantes de cada lugar, a veces muy diferentes a las nuestras y otras veces iguales o muy parecidas.

En este libro encontrarás leyendas y cuentos de México, de Argentina, de Costa Rica, de Colombia, de Perú, de Chile y de Venezuela. Están escritos en español y por eso podemos comprenderlos. Sin embargo, notarás palabras o maneras de escribir que son diferentes. Esas similitudes y diferencias no sólo se vislumbran en la escritura, sino que también podemos encontrar esas marcas regionales en la oralidad.

En el CD que acompaña este libro están los mismos relatos narrados por personas originarias de los países.

Estas personas son narradores orales: su arte reside en el manejo de la voz y de la palabra para contar leyendas y cuentos, para transportarnos con su ritmo a mundos imaginarios o quizá reales, pero contados. Este libro es una invitación a leer y a escuchar. Y, por qué no, a empezar a creer en las cosas que nos cuentan.

El diablo embotellado

Versión y narración de Beatriz Falero
Cuento popular mexicano

Cuentan que allí había una muchacha de lo más bonita
y que, además de ser inteligente, puesto que estudiaba en la
Universidad de Xochimilco, era muy buena hija. Todas las tardes
iba a comprar el pan a la panadería más cercana.

Una tarde, cuando iba caminando, de repente empezó a oír los
pasos de un caballo que se acercaba. Y cuando ella volteó, allí
había un caballo negro, y arriba del caballo había un charro muy,
muy guapo; y, además, con ese traje negro que traía, con su

sombrero, con sus botas se veía mucho más guapo. La muchacha volteó y lo vio; pero cuando él le iba a hablar, ella se metió rapidito en la panadería.

Tardó bastante en escoger el pan. Para cuando salió, el muchacho seguía ahí, subido en su caballo. Ella empezó a caminar, ¿qué les diré?, rá-pi-da-men-te; y el charro, detrás de ella, le empezó a decir:

-Calabacitas tiernas, ¡ay, qué bonitas piernas! Quién tuviera esas trencitas para hacerle un moño a mi traje.

Y cuando llegaron a su casa, de repente, el muchacho le volvió a hablar:

-Hola, negrita, ¿no quieres ser mi novia?

La muchacha volteó y lo vio y, ¡ay!, estaba tan guapo que dijo:

-¡Sí! -y se metió en su casa. Al entrar, le dijo a su mamá:

-Mamá, mamá, mamá, ya tengo novio.

-¿Ah, sí? ¿Y dónde vive?

-Pues… no sé.

-No, hija, no puede ser. No quiero que lo vuelvas a ver. Te pido por favor que no lo vuelvas a ver.

¿Pero ustedes creen que la muchacha no volvió a ver a aquel charro precioso? Pues no, ¿verdad? Sí lo vio.

Al siguiente día, esperó a que fuera la tarde, se puso unos moños fluorescentes en sus trenzas y salió hacia la panadería; y cuando iba llegando, escuchó al caballo del muchacho. Y saludó:

-Hola, novio.

Y él se quedó mirándola y le respondió:

-Hola, novia.

-Oye, yo quisiera conocer tu casa. ¿No me llevas a tu casa?

Francamente, el muchacho quedó asombrado. Oigan, tanto trabajo que cuesta llevar a las muchachas a las casas de los muchachos… pero bueno, no se podía perder la oportunidad. Así es que le contestó:

-Súbete al caballo.

Y como si la hubieran levantado, cayó sobre las ancas, se agarró de la cintura de su charro y así fueron atravesando todo Xochimilco. Tuvieron que ir de lado a lado, recorrieron lugares en los que ya no había casas ni nada, hasta que llegaron a una enorme montaña… y en medio de la montaña había una gruta… y allí, exactamente en el medio de la gruta, había una piedra muy grande que tapaba la entrada.

El charro hizo unos pases y dijo:

-¡Uhahaha! -y la puerta se abrió. El caballo los introdujo en aquel lugar. La joven no dejaba de voltear para todos lados, porque aquel lugar era lo más maravilloso que había visto.

Había bolsas con monedas de plata, bolsas con monedas de oro, joyas, arados, semillas para sembrar, vestidos, coches. Lo que quisieran.

Así es que volteó hasta quedar frente al charro y le dijo:

-Novio, oye, ¿todo esto es tuyo?

A lo que él le contestó:

-Sí, y puede ser tuyo también.

La muchacha preguntó:

-¿De veras?

-Sí, pero con una condición: que te quites del cuello esa cruz.

La muchacha se tapó con su mano la cruz y le explicó:

-No. No puedo. Me la regaló mi abuela; y si yo regreso a mi casa sin la cruz, me mata.

Aquel hombre se puso furioso y le dijo:

-Pues si no te la vas a quitar, súbete al caballo que te regreso a tu casa.

Y otra vez, como si la hubieran alzado en vilo, cayó sobre el caballo y ahora fue en un abrir y cerrar de ojos que llegó hasta su casa. Entró corriendo y le dijo a su mamá:

-Mamá, mamá, mamá, mamá, ¿qué crees? Mi novio es rico.

-¿Ah, sí? -le dijo su mamá-. ¿Y cómo se llama tu novio?

-No sé.

-¿Y cómo se llaman sus padres?

-No me los presentó.

-No, hija, a mí eso no me gusta. ¿Sabes qué? No lo vuelves a ver. Te lo digo por última vez. No lo vuelves a ver.

¿Pero ustedes creen que la muchacha no volvió a ver a su amigo? Pues claro que no. Lo volvió a ver.

Al otro día, ella se puso su vestido de cretona con flores de colores y sus moñotes, y allí fue.

Pero ¿se acuerdan que yo les había dicho que era una muchacha muy inteligente que estudiaba en la Universidad de Xochimilco? Así es que llevaba un plan.

Se fue hasta la panadería y allí en la puerta estuvo esperando mientras tomaba un refresco; y, claro, ya en la hora en que tenía que llegar aquel novio, se empezó a escuchar el caballo, y le dijo:

-Hola, novio.

-Hola, novia.

-Oye, me quedé pensando. ¿De veras eres todopoderoso?

-Ah, claro –contestó el charro.

-¿Y puedes hacer todo lo que yo te pida?

-¡Sí!

-¿Podrías hacerte grandote?

-¡Sí!

-¿A ver?

Y entonces el charro dijo:

-Una, dos, tres y ¡uhaaaaaaa!

Miren, subió más arriba que los árboles, que las casas, que las nubes. Ya no se le veía ni la cabeza. Y desde allá le gritó:

-¿Así está bien?

-Sí -le contestó la muchacha.

Y entonces, cayó en el piso otra vez con el tamaño que tenía

anteriormente, y la joven, con mucho miedo pero tomando valor de donde pudo, le dijo:

-Ah, eso es fácil. ¿Te podrías hacer chiquito?

Y tirando lo que le quedaba de refresco, le enseñó el frasco y le dijo:

-¿Te podrías, por ejemplo, meter en esta botella?

Y bueno, el hombre ya estaba enamorado de la muchacha, y ya ven que todos los enamorados se vuelven tarados, así es que le contestó:

-¡Claro que puedo!

-¿A ver?

-Uno, dos, tres...

Y en menos de lo que se los cuento ya estaba dentro de la botella como un charrito chirriquitito, con sombrero, con botas, con todo; y empezó, muy presumido, a dar unas vueltas.

-¿Qué tal, eh, qué tal? ¿Qué tal, eh, qué tal?

Y la joven, aprovechando que el charro estaba de espaldas, con un movimiento rápido se arrancó el crucifijo del pecho y lo puso de tapón en la botella.

¡Ay, pero mejor hubiese sido no hacerlo! Porque aquel hombre empezó a echar humo por la nariz, por la boca y por los oídos; se le cayó el traje de charro y entonces ella pudo ver que tenía el cuerpo cubierto de pelitos rojos, rojos; rojos, rojos, rojos, y que de la frente le salían dos cuernitos... y que tenía una cola larga y puntiaguda.

Estaba tan enojado que empezó a patear la botella y a darle de puñetazos y a decir:

-¡Déjame salir! ¡Déjame salir! ¡Déjame salir! Te prometo que no te hago nada; te hago rica. ¡Déjame salir!

Pero la joven, que era muy inteligente, agarró la botella, corrió hasta su casa y se la entregó a su madre que corrió a la iglesia de San Bernandino. Allí el padre le echó agua bendita, después murmuró unas palabras en latín y tomando la botella dijo:

-Una, dos, tres, "¡zaz!" -y la azotó contra una columna que estaba en el altar mayor.

Cuentan que quedó todo oliendo a azufre; pero, eso sí, desde entonces, no se ha vuelto a ver al diablo por Xochimilco. Y yo creo que nunca se le va a volver a ver, porque él sabe muy bien que allí vive una muchacha muy bella, que es muy buena hija, muy inteligente -porque estudia en la Universidad de Xochimilco- y que, además, sabe embotellar al mismísimo diablo.

Agradecemos el apoyo a la antropóloga Anahuac González, Directora del Archivo Histórico de Xochimilco.

El otro Sol

Versión de Olga Drennen / Narración de Juana La Rosa
Leyenda del noroeste argentino

Dicen los quechuas que, cuando en un principio, Dios creó la Tierra, el agua, el aire y el fuego, había dos soles en el cielo. Después creó a los hombres y a los animales. No existía la noche. Todo era vida y alegría.

Hombres, mujeres y fieras compartían los frutos y la tierra como amigos, pero algo sucedió que rompió la paz y la felicidad que disfrutaban unos y otros.

Una de esas mañanas de siempre primavera (ya que nunca hacía ni mucho frío ni mucho calor), el hombre vio la luz dorada de los dos soles que iluminaba todo. Una brisa suave andaba entre las flores que agitaban sus pétalos y se movían como en un baile; su perfume se mezclaba con el de las frutas, que era a veces dulce, a veces picante. A cada paso, había enormes plantas cargadas de pájaros que no dejaban de cantar. Y el agua, que caía a borbotones azules o dorados, parecía un espejo del cielo.

-Yo -dijo de pronto el primer hombre, mientras miraba a su alrededor- soy el dueño de todo porque fui el primero en ser hecho. Quiero ser rey.

El puma, que en ese momento pasaba por ahí, lo escuchó.

-De ninguna manera -contestó con una garra en alto-, yo soy el que nació para ser rey.

Al principio, el resto de los hombres y de los animales se divertía mientras ellos discutían.

Toda mañana (ya que no había noche), los dos soles brillaban bajo los ojos de Dios, que los iluminaba con amor. Los dos soles brillaban sobre la felicidad de sus criaturas alimentadas con fruta y miel.

Pero el hombre no se conformó con decir que quería ser rey.

-Traigan oro -ordenó- y piedras. Piedras que brillen igual que los dos soles juntos, para hacer una silla. La silla del rey. Yo no puedo seguir sentándome en el suelo como los demás. Pueden usar los animales si no tienen fuerza, que ellos carguen el peso.

Así, los bueyes, los burros y los caballos fueron usados para llevar el oro y las piedras que el primer hombre pedía.

Por su parte, al enterarse, el puma dijo que no estaba conforme con las hierbas que le servían de cama.

-Quiero dormir en trigo dorado como el agua de la laguna y flores, muchas flores. Yo no debo seguir durmiendo como ustedes, tirado en cualquier parte. Y si no consiguen cosechar el trigo o cortar flores solos, pueden usar a los hombres. ¡Qué ellos corten y cosechen por ustedes!

Entonces, los seres humanos tuvieron que trabajar para los animales.

Una vez hechos el trono para el hombre y la cama para el puma, todos volvieron a la fiesta del descanso en la toda mañana de la siempre primavera en que vivían.

Pero ni el hombre ni el tigre se conformaron. Quisieron más. Primero hicieron talar árboles, el uno para tener una casa llena de comodidades, y el otro porque quería una cueva con mucha sombra y espacio.

Después, hicieron cortar flores y arrancar plumas; uno y otro para hacerse coronas. Cada uno decía ser el rey.

-Ahora -dijo, al fin, el primer hombre de buenas a primeras- quiero ropa más hermosa que la de todos los demás; ¡basta de cubrirme con hojas! Me gustaría que mataran al puma ese que tanto me molesta para poder adornarme con su piel.

Cuando el puma se enteró de lo que el hombre había pedido, se puso furioso.

-Ahora -dijo- ya no quiero comer más frutas y miel. Tengo ganas de almorzar carne humana. ¡Maten al primer hombre!

Pero nadie se animó a obedecerles. Sin embargo, tanto los animales como las personas empezaron a mirarse mal; con desconfianza al principio, y con odio después.

La naturaleza, por su parte, también sufrió. Las flores y los frutos empezaron a marchitarse, las hojas de los árboles cortadas se secaron y cayeron al agua. Las fuentes y los ríos perdieron el azul para ponerse turbios.

-Por aquí no se pasa -gruñó el puma toda una mañana cuando vio acercarse a una de las mujeres-. Soy el rey de esta tierra y si digo que no se pasa, no se pasa...

Y la mujer no se animó a seguir adelante.

-¡Bien hecho, puma! -gritó un pez asomando su cabeza de plata fuera de una laguna donde antes flotaban rosas, y ahora, unos pétalos sucios.

-Bien hecho, puma -cantaron las chicharras desde las ramas secas de un nogal talado.

Y la mujer que había retrocedido sintió un cosquilleo en el estómago como nunca había sentido. Entonces, corrió y corrió. Al fin, llegó donde se reunían los otros hombres y las otras mujeres. No tardó mucho en contar lo que le había pasado.

Fue cuando el primer hombre agarró el primer garrote: se trataba de una rama de manzano.

Dicen que del susto, las mariposas dejaron de cantar y se quedaron mudas para siempre.

Según los quechuas, toda esa mañana fue una de las más tristes en la historia del mundo.

Los dos soles vieron cómo hombres y fieras se enfrentaban por primera vez. Después las cosas fueron rápidas. En cada rincón, había hombres y animales heridos, chicos y mujeres llorando, cachorros sin abrigo. Todos desesperados.

Los dos soles vieron cómo hombres y fieras luchaban hasta el agotamiento.

Dios también los vio y comprendió que tenía que hacer algo por sus criaturas. Entonces, lleno de compasión, tomó uno de los soles que tanto quería y lo rompió para formar la luna y las estrellas.

Dicen los quechuas que así empezó la noche.

Dicen que tanto bestias como seres humanos hicieron un alto en la pelea para descansar.

Dicen que Dios sacrificó a uno de sus queridos soles para que todos, hombres y animales, puedan descansar y, tal vez, mientras duermen, sueñen con la paz.

De cómo el Hermano Araña probó que el Hermano Tigre era su caballito de trote

Versión y narración de Moisés Mendelewicz
Cuento popular costarricense

Yo pasé mi infancia en Limón, en el Caribe costarricense, ese Caribe que es el Caribe más pequeño de todos los Caribes del Caribe. Negros, blancos y polacos, porque así nos decían a los judíos, éramos uno en aquellos barriales.

Este cuento proviene de la tradición oral perteneciente a los negros de la costa atlántica de Costa Rica. Se contaba mitad en inglés y mitad en español.

La historia cuenta que el Tigre, el Hermano Tigre, el *Brother*

Tigre, el *Breda* Tigre es nuevamente burlado por el Hermano Araña, Anansí, el *Breda* Araña, el *Breda* Anansí. La voz de África en el Caribe.

Tigre, *the Breda* Tigre, *was the most popular animal among the girls of the town.* Anansí, *the Breda* Anansi, *did not like this.*

El Tigre, el Hermano Tigre, era el más popular entre las muchachas del pueblo. Su fama de donjuán enloquecía a más de una. Esto, por supuesto, no podía gustarle a Anansí, al *Breda* Anansí, al Hermano Araña, porque con cuanta muchacha platicaba, le salía con el cuento de que estaba enamorada del guapo Tigre.

De ahí nació cierta rivalidad entre *Breda* Anansí y *Breda* Tigre. Pero a Tigre poco le importaban los berrinches de Anansí. Él, el Tigre, era el que tenía el mechoncito blanco en la melena, con el cual enloquecía los corazones de las damitas. Muchas veces, *Breda* Anansí había tratado de cortarle el mechoncito a Tigre mientras éste dormía, pero Tigre siempre reaccionaba a tiempo, e incluso un día estuvo a punto de destripar a su rival.

¡¡¡Tum!! ¡¡¡Tum, tum!!! ¡¡¡Tum, tum, tum!!!

En el pueblo vivía Tacuma. Tacuma tenía dos hijas. *Breda* Anansí se enamoró de las hijas y también Tigre se enamoró de ellas.

Un día, Anansí fue a la casa de las muchachas para enamorarlas,

y ellas le salieron con el cuento de que estaban enamoradas del guapo Tigre.

"¡Ja, ja! *You don't know who you are speaking to; Breda* Tigre *is my little riding horse*".

"¡¡Ah!! ¡¡Ah!! Enamoradas de ese bichejo, ¡¡pero por favor!! Ese bicho del Tigre no es nada más que mi caballito de trote". Y, al poco tiempo, empezó a correr de boca en boca por todo el pueblo que el Tigre, con todas sus pretensiones, no era sino el caballito de trote de Anansí. Hasta los niños se atrevían a cantar por las esquinas:

"Hermano Tigre, se te acabó la maña desde que te monta el Hermano Araña. Hermano Tigre, se te acabó la maña desde que te monta el Hermano Araña".

Tigre se puso furioso y decidió ir a casa de Anansí para reclamarle en el terreno de los hombres. Pero cuando Tigre llegó, Anansí, que lo había visto venir por entre las rendijas de las tablas de madera de su casa, cayó gravemente enfermo. En realidad, era mentira; estaba fingiendo. Pero, de todos modos, allí estaba revolcándose y quejándose de un fuerte dolor de panza.

-¿A mí qué me importa tu dolor? ¿Qué fue lo que hiciste? -dijo Tigre.

-¿Qué fue eso, Hermano Tigre?

-Mirá, Anansí, no me tomés por tonto. Fuiste a la casa de Tacuma a decirles a las muchachas que yo era tu caballito de trote.

-¡Ay, *Breda* Tigre! ¡Cómo se te ocurre que yo puedo hacer una cosa así, si vos sabés que yo te aprecio mucho, si vos sabés que sos uno de mis mejores amigos! Tu duda me ofende… y que esto y que lo otro. Esas muchachas son muy malas y por eso inventaron este chisme.

-Pues entonces ve a su casa a desmentirlo -dijo furiosísimo el Hermano Tigre.

-¡Ay, pero *Breda* Tigre! Mirá cómo estoy… si me estoy muriendo. No puedo ni caminar, y vos querés que vaya hasta allá. ¿Pero cómo? Me estás pidiendo demasiado, sos un desconsiderado.

-Pues tenés que ir y punto -dijo el Tigre, tan enojado que hasta le salía baba por sus dientotes.

-Bueno, bueno, ok, ok… iré, iré -dijo Anansí-. Pero para poder ir tengo que ir bien cómodo, tengo que ir sentado, porque ya no aguanto el dolor de panza. ¿Usted no me podría hacer el favor de llevarme?

El Hermano Tigre estaba tan apurado por arreglar el malentendido que le dijo que sí. Y ahí fue cuando Anansí aprovechó para decirle que por favor le consiguiera un estribo, una montura y un freno.

Entonces, Tigre fue por el estribo, fue por la montura y fue por el freno.

Anansí ensilló al Hermano Tigre y se fueron por el camino.

-¡Despacio, despacio! *Walk slow, walk slow!* -decía Anansí-, que me duele la panza.

Pero cuando se estaban acercando a la casa de Tacuma, Anansí agarró un chilillo y comenzó a golpearle los lomos al *Breda* Tigre. Hasta que Tigre comenzó a trotar a paso rápido.

Ya cerca del portón de la casa de Tacuma, Anansí le metió a Tigre un espuelazo en la panza, lo cual hizo que Tigre saltara adentro del jardín de la casa de Tacuma.

Y ya estando en el patio, Anansí se recompuso milagrosamente del dolor de panza y, como loco y lleno de júbilo, comenzó a cantar: "*See me*, Anansí, *coming down*, *see me*, Anansí, *coming down*. Véanme a mí, Anansí, que viene... véanme a mí, yo lo monto, yo lo monto a *Breda* Tigre".

Y así fue cómo Anansí demostró que el Hermano Tigre era su caballito de trote.

Por eso, desde ese momento hasta el día de hoy, los tigres viven avergonzados dentro de las montañas e intentan no ser vistos, mientras que Anansí, muerto de la risa, siempre se queda con todas las muchachas.

El origen de los mosquitos

Versión y narración de Hanna Cuenca
Leyenda colombiana

Hace muchísimo, muchísimo, muchísimo tiempo junto al río Orinoco, que es el gran río que queda entre Colombia y Venezuela, había una aldea. Y en la aldea había un cacique y el cacique estaba muy preocupado porque su hija era gordita. Lo que le preocupaba realmente al cacique era que en aquella aldea a los hombres les gustaban las mujeres flacas, flacas, flacas y pensó que no habría ningún hombre que se interesara en su hija para casarse y luego tener nietos.

Un día, por el gran río Orinoco, como por un espejo de agua, llegó una canoa, una kuriara, con un indígena. El indígena era alto y acuerpado. Quería conocer la aldea, pero quiso el destino que justo en la mitad del camino entre la aldea y el río se encontrara con la hija del cacique. Ella, nada más de verlo, sintió que se le caía el cántaro con que iba hasta el río a recoger agua y él no pudo hacer otra cosa que tomar el cántaro y alcanzárselo. Pero cuando le vio esos ojos, esa sonrisa, bien alimentada, así con piernas grandes, barriga, brazos redondos, supo que ésa era la mujer de su vida, y sin pensarlo dos veces ofreció acompañarla a recoger agua del río.

Ella, cuando detalló esa piel morena, vio esos ojos y sintió esa ternura con que le hablaba, quedó completamente enamorada. Durante los ocho días siguientes, todos los santos días iba a visitarla y a verse con ella en la orilla del río. Después de este tiempo habló con el cacique y pidió la mano de la princesa. Claro, el cacique accedió inmediatamente y se hizo un fiestonón que duró más de tres días con sus noches. De regalo les dieron para vivir un bohío, que era una choza redonda tejida en palma.

Cuando recibieron el bohío, el marido recogió leñas aromáticas de los bosques cercanos y armó un fogón en la mitad del bohío. Luego, a cada lado colgó una hamaca. Después de la gran fiesta, los dos novios entraron al bohío y del techo empezó a salir el humo perfumado que llenó toda la aldea con olores de amor.

A la mañana siguiente salieron los recién casados a pasear. Pero apenas salieron todo el mundo quedó sorprendido, todo el mundo empezó a cuchichear, todo el mundo empezó a decir que algo raro había pasado. Porque la hija del cacique que era gorda la noche anterior, ahora era flaca, flaca, flaca, casi un hueso. Ya no tenía músculos, ya no tenía barriga, ya no tenía cadera, no. Parecía que había pasado algo mágico. Porque además aquél, el marido, amaneció gordo pesado, barrigón. Durante el día, la hija del cacique volvió a recuperar su peso y le salieron gorditos los brazos, gorditas las piernas, los deditos de los pies se volvieron rellenitos. Y el hombre por la noche estaba otra vez delgado y juntos se fueron al bohío. A la mañana siguiente, ella otra vez flaca, flaca y él gordo; y en la tarde, ella gordota y él flaquito. Y a la mañana otra vez la misma historia y así por siete días.

Al chamán eso le pareció muy raro, y como él es conocedor de todos los misterios, mientras los recién casados estaban fuera organizó un huequito en las palmas del bohío para poder mirar qué pasaba. En la noche el marido prendió el fuego y empezó a salir ese humo aromático delicioso. Luego él se acostó en una hamaca y ella se acostó en la del frente y las dos hamacas empezaron a balancearse. Y luego, sobre el fuego, se encontraron en un abrazo de amor. Las hamacas se separaron y ella quedó profundamente dormida y feliz soñando con su marido amado.

Él se levantó de la hamaca como con el alma perdida y caminó hasta la hamaca de ella. Parado frente a la hamaca de ella, sufrió una transformación. De su tronco salieron patas de insecto peludas y fragmentadas, de su espalda salieron unas alas transparentes, sus ojos se brotaron y se multiplicaron mil veces y su boca se fue estirando finamente hasta terminar convertida en un largo punzón.

Cuando aquel monstruo en que se había convertido el marido la vio sonriente y gordita, le clavó el punzón en el corazón y empezó a chuparle la sangre. Mientras él chupaba, ella se volvía flaca, flaca, flaca, y él, por lo contrario, se iba llenando tanto su barriga que se iba volviendo gordo, gordo y pesado.

El chamán, que lo había visto todo, corrió a la cabaña del cacique y se lo contó. El cacique, atemorizado porque su hija estaba durmiendo con un monstruo y porque además iban a tener un monstruito, decidió que eso no podía continuar así y preparó un plan con sus guerreros durante el día.

La hija del cacique amaneció flaca y el hombre gordo, pero luego la joven fue engordando y el hombre fue adelgazando. En la noche todo estaba listo. Los recién casados entraron al bohío, se prendió el fuego con olores maravillosos y las dos hamacas se balancearon hasta que se encontraron en el abrazo del amor.

Ella se quedó profundamente dormida, el hombre se convirtió en monstruo, caminó hasta la hamaca y, cuando tenía listo el punzón para clavarlo en el corazón de su amada, entraron todos los guerreros de la tribu con sus armas y lo volvieron pedacitos.

Ella, que escuchó ruidos, se despertó preguntando por su amado, y su padre no fue capaz de contarle que en realidad era un ser que le consumía la vida. Así que sin decir absolutamente nada, el cacique, el chamán y todos los guerreros se fueron del bohío y la dejaron sola.

Llorando, la mujer se tiró al suelo, recogió todos los pedacitos de lo que había sido su esposo, y los fue echando lentamente en aquel fuego que él mismo había preparado para el amor de los dos. Los pedacitos se fueron quemando hasta convertirse en cenizas.

A la mañana siguiente, ella recogió las cenizas y las echó en una totumita y se fue para el río a regarlas allí donde se habían conocido. Entró al río y lanzó al aire un puñado de cenizas que, al entrar en contacto con el viento, empezó a emitir un zum, zum, zum y se fue volando. Si alguien viera con una lupa esa ceniza se encontraría con bichos chiquiticos con alas trasparentes, patas de insecto, con ojos grandes y un punzón largo para chupar sangre.

A medida que ella lanzaba las cenizas al viento, éstas se esparcían por todo el río Orinoco y sus alrededores, mientras ella desaparecía lentamente hasta que sólo fue una manito que sostenía la totuma y otra que lanzaba el último puñado de cenizas.

Desde ese día existen mosquitos en los ríos, charcos y lagunas, que nos pican y con su zumbido nos recuerdan esta historia de amor que hoy se las zumbo yo zzzzzzz.

El mono de Angola

Versión y narración de Cucha del Águila
Cuento popular peruano

Esta es la historia de un mono que un día, viéndose pobre y sin nada que comer, decidió ir por el mundo a buscar fortuna.

Andando y andando, llegó a un lugar por donde pasaba un camino. Se sentó a un lado y puso su cola atravesada.

No tardó en llegar por ahí un hombre con una carreta bien pesada.

Viendo la cola del mono atravesada en el camino, le dijo:

—¡Mono, saca tu cola!

-No quiero -le respondió el mono.

Como el hombre tenía que continuar su ruta, pasó con carreta y todo sobre la cola del mono. Y... "cric, crac". La cola se rompió.

El mono, enojado, miró al señor y le dijo:

-¡Oiga, devuélvame mi cola!

-Pero... no puedo. Es imposible -le respondió el señor.

Entonces, el mono se puso a bailar y a cantar delante de él:

"Oiga, yo quiero mi cola,

si no, una navaja;

una navaja o mi cola,

mi cola o una navaja".

Y así siguió bailando y cantando durante un buen rato.

Tanto cantó el mono que el señor, cansado de escuchar la canción, le dio una navaja.

El mono, contento, se fue cantando:

"Perdí mi cola, gané una navaja;

perdí mi cola, gané una navaja.

Y me voy para Angola, y me voy para Angola".

Como Angola es un país que está muy lejos, el mono siguió andando y andando.

Hasta que de pronto, se topó con un señor que estaba haciendo canastas de mimbre y que, como no tenía herramientas, cortaba el mimbre con los dientes.

-Señor, no corte el mimbre con los dientes, se le pueden malograr.

Le presto mi navaja -dijo el mono.

-Bueno -dijo el señor.

El hombre tomó la navaja y se puso a cortar el mimbre. "Ziz zas zis zas". Hasta que de pronto… "¡¡ziiiiiz y zaaaas!!". La navaja se rompió.

El mono, enojado, miró al señor y le dijo:

-Oiga, devuélvame mi navaja.

-Pero… no puedo. Es imposible -le contestó el hombre.

Entonces, el mono se puso a bailar y a cantar delante de él:

"Yo quiero mi navaja,

si no, una canasta;

una canasta o mi navaja,

mi navaja o una canasta".

Tanto cantó el mono que el señor, cansado de escuchar la canción, le dio una canasta.

El mono, contento, se fue cantando:

"Perdí mi cola, gané una navaja;

perdí mi cola, gané una navaja.

Perdí mi navaja y gané una canasta;

perdí mi navaja y gané una canasta.

Y me voy para Angola,

y me voy para Angola".

Como Angola está muy lejos, el mono siguió andando y andando. Hasta que de pronto se topó con una señora que vendía pan. El pan lo llevaba dentro de un bolso todo roto, todo viejo y todo sucio.

El mono se escandalizó y le dijo:

-Señora, ¡no venda pan en ese bolso todo roto, todo viejo, todo sucio; nos podemos enfermar! Le presto mi canasta.

-Bueno -dijo la señora.

Y tomando el pan del bolso todo roto, todo viejo, todo sucio, comenzó a llenar la canasta: pan, pan, pan, pan... y de pronto "¡paaaaaannn!". La canasta se rompió.

El mono, enojado, miró a la señora y le dijo:

-Oiga, devuélvame mi canasta.

-Pero no puedo. Es imposible -le respondió la señora.

Entonces, el mono se puso a bailar y a cantar delante de ella:

"Oiga, yo quiero mi canasta,

si no, un pan;

un pan o mi canasta,

mi canasta o un pan".

Tanto cantó el mono que la señora, cansada de escuchar la canción, hasta dos panes le dio.

Y el mono se fue, contento, cantando:

"Perdí mi cola, gané una navaja;

perdí mi cola, gané una navaja.

Perdí mi navaja y gané una canasta;

perdí mi navaja y gané una canasta.

Perdí mi canasta y gané un pan;

perdí mi canasta y gané un pan.
Paran pan pan paran pan pan.
Y me voy para Angola,
y me voy para Angola".
Y el mono se fue a Angola, pero nosotros nos quedamos aquí.

El espíritu de María

Versión y narración de Juan Patricio Romero Plaza
Leyenda chilena

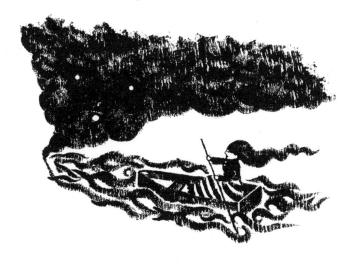

Coquimbo quiere decir "lugar de aguas tranquilas", y también es el nombre de una región de Chile. Pero, sin embargo, allí no todo el tiempo permanecen tranquilas, sobre todo en la Isla Pájaros, a doce millas de la costa.

En esta isla abundan los congrios colorados. Los congrios son gigantes anguilas de mar de color rojizo. Los pescadores de las caletas cercanas navegan hasta esa zona para capturar el preciado pez, a pesar de que en los alrededores de la isla el mar siempre está embravecido, con ráfagas de viento que levantan enormes olas. Los pescadores tienen que luchar y poner en práctica todos los conocimientos que sus padres les transmitieron -y que ellos, más tarde, enseñarán a sus hijos-, porque no cualquiera puede ir a calar a la isla, sólo los congrieros más aguerridos.

Cuentan los viejos lobos de mar, esos que tienen la piel curtida por el sol, que hace unos cien años, en una pequeña caleta vivía un joven pescador, reconocido a pesar de su juventud por su habilidad para navegar y por su valentía. Era un hombre alto, moreno, con ojos color de mar. Este pescador tenía tal determinación en la mirada que parecía que no le temía a nada. "A la mar", decía, "no hay que tenerle miedo; sólo respeto."

Hace cien años Coquimbo era un pequeño pueblo, y el pescador con los ojos color de mar estaba comprometido con una bella joven, la más linda del pueblo. Pero esta historia, que pudo terminar en un "y vivieron felices para siempre", no concluyó bien.

Orlando, pues así se llamaba el pescador, salió un día a la mar rumbo a la Isla Pájaros para pescar congrios. Pero nunca volvió; y no es que haya desaparecido en un temporal. Lo que pasó fue que se perdió en los ojos de otra mujer, y ya no pudo sacar a esta nueva enamorada de sus pensamientos.

María, la bella, supo que su enamorado estaba en la isla con otra mujer y los celos fueron más fuertes que la cordura. Tomó el bote de su padre y navegó hacia la peligrosa isla. En el trayecto, la sorprendió un temporal de viento y de lluvia. El pequeño bote apenas resistía los embates de las olas. María navegó con el corazón apretado, con más rabia que miedo. La furia de la mar, que también es mujer, golpeó con todas sus fuerzas la frágil embarcación, destruyéndola y mandando sus restos a las frías y oscuras profundidades del océano. María permaneció un instante a flote y, con las últimas fuerzas de su enamorado corazón, juró vengarse de su amado Orlando.

El espíritu de María se quedó para siempre en la Isla Pájaros, planeando su venganza. Dicen los viejos hombres de mar que, cuando la luna llena se asoma y su pálida luz cae sobre la isla, se puede ver la silueta de una bella joven caminando por la isla. Este espíritu vengativo aprendió el idioma de los pájaros, que ahí habitan en grandes cantidades: cormoranes, gaviotas, pelícanos. El espectro domina a las aves y las envía cada tarde, cuando el sol cae, en busca de su amado Orlando. Las aves tienen la orden de, al verlo, atacarlo y arrancarle los ojos, porque esos ojos son los culpables de que los hombres engañen a las mujeres. Después de dejarlo ciego, deben seguir descargando su furia hasta matarlo.

Cada día, al atardecer, las aves salen de la isla, pero nunca encontraron a Orlando.

El espíritu vaga por la isla, sólo, pensando en encontrar descanso. Y éste llegará el día en que el traidor muera.

Han pasado más de cien años desde que María se ahogó, y su

furia, lejos de apaciguarse, va en aumento. Por eso, cada cierto tiempo esta alma en pena llega hasta alguna playa, en busca de algún joven pescador que esté comprometido. Lo seduce con su belleza de ángel maligno, con sus grandes ojos y con su pelo anochecido, e invita al joven para que la visite en la isla. Si el joven acepta, ha firmado su sentencia de muerte. Los pájaros harán su trabajo.

Doña Engracia

Versión y narración de Ana Ximena Hidalgo Castellanos
Cuento popular venezolano

Juan Silvestre pidió trabajo en una hacienda. La dueña, doña Engracia, le dijo que lo aceptaba como su empleado, pero que había una condición: si a él algo le daba rabia y lo reconocía, ella se quedaba con todas sus pertenencias. Pero, si era ella la que se ponía brava y lo admitía, la hacienda sería de él. Como tenía buen carácter, Juan aceptó.

A las dos de la mañana, lo despertaron los golpes de unas tapas de olla encima de su cabeza: "¡clang! ¡clang! ¡clang!", y lo mandaron a ordeñar las vacas. Como llegó al corral con mala cara, doña Engracia le preguntó si estaba bravo, pero él dijo que no. Después de ordeñar, le pidieron que hiciera queso, y cuando estuvo listo, que fuera a limpiar el conuco, que estaba lejos.

Doña Engracia dijo que para llegar al conuco tenía que seguir a su perro entrenado y, para volver, lo mismo. Cuando el perro empezara a caminar de regreso para la casa, tenía que seguirlo.

Cuando llegaron al conuco, el perro se echó debajo de una matica y Juan se puso a trabajar. Al rato de estar quitando malezas, le dio sed y se dio cuenta de que no había llevado agua, de que ya estaba cerca el mediodía y de que no tenía ni una arepita para comer. Sin nada para comer ni para tomar, Juan trabajó todo el día y el perro no se movió hasta que el sol estuvo a punto de ponerse. Por fin empezó a caminar y Juan fue detrás de él, renqueando.

Cuando lo vio llegar a la casa, doña Engracia le preguntó: "¿A usted qué le pasa? ¿Está bravo?". Él dijo que no, que tenía hambre y sed. Entonces, ella le sirvió un huevo frito y una arepa, y dijo que había muchas arepas, que comiera todas las que quisiera. Juan se comió el huevito con media arepa y pidió otro huevo; pero ella dijo: "Ah, no, más arepa sí, pero más huevo no".

Juan no aguantó más y se puso rojo como un tomate. Le dijo a doña Engracia que era una desconsiderada. Cuando ella preguntó si estaba bravo, él le dijo que síííí, que estaba furioso. Así, ella se quedó con las cosas de Juan, quien tuvo que irse de la hacienda.

Fue a casa de su compadre y le contó lo que había pasado.

Al día siguiente, el compadre pidió trabajo en la hacienda y aceptó la condición puesta por doña Engracia. A las dos de la mañana él ya estaba levantado.

Antes de ordeñar las vacas, soltó a los becerros, que se mamaron la leche. Cuando ordeñó, sacó sólo dos tobos. Cuando doña Engracia se dio cuenta, le salieron chispas de los ojos. "¿Qué pasó? ¿Usted está brava?", preguntó el compadre. Ella contestó que no y le ordenó que fuera a hacer queso. Él dio dos pasos cargando la leche y se tropezó, derramándola toda. La mujer pensó que ese día no iba a poder vender el queso ni la leche. Mientras sacaba la cuenta del dinero que estaba perdiendo, el compadre le interrumpió los pensamientos y le volvió a preguntar: "Doña, ¿está brava?". Ella dijo que no y le explicó que tenía que seguir al perro para trabajar en el conuco.

Cuando el compadre llegó al conuco buscó un palo y le dio un golpe al perro. El pobre animal, para que no le pegara más, corrió para la casa. El compadre, siguiendo al pie de la letra las órdenes de la señora, lo siguió. Doña Engracia preguntó por qué estaba ahí tan temprano si apenas eran las nueve de la mañana, y él dijo: "No sé, su perro se quiso venir. Además, yo tengo hambre". Ella le sirvió un huevo frito y una arepa y dijo que había muchas arepas, que comiera todas las que quisiera. El compadre se comió la arepa con un poquitico de huevo y dijo "Pan pa'l huevo, que el huevo está entero". Le sirvió otra arepa. El compadre también se la comió y dijo "pan pa'l huevo, que el huevo está entero". Doña Engracia le sirvió otra arepa más... y así hasta que se acabaron todas y él dijo: "Muela maíz para hacer más arepas, yo todavía tengo hambre". Doña Engracia se fue a pilar maíz y ahí se puso a pensar en que ese día no tenía la plata del queso, en que no tenía leche ni para ella, en que el conuco estaba desatendido y, para colmo, ella estaba... y no pudo seguir pensando porque el compadre la fue a apurar: "¿Qué pasó con las arepas? Yo tengo hambre". Ella dijo que no iba a hacer ninguna arepa. Y cuando él le preguntó si estaba brava, respondió que síííi, que estaba furiosa.

Fue así como Juan Silvestre recuperó sus cosas, gracias a la astucia de su compadre, quien además se quedó con una hacienda.

Glosario

Angola: País que se encuentra al sureste del continente africano.

Arepa: Especie de pan de forma circular, hecho con maíz ablandado a fuego lento y luego molido, o con harina de maíz precocida, la cual es posteriormente cocida sobre un budare o sobre una plancha.

Calar: Disponer en el agua debidamente un arte para pescar.

Caletas: Ensenadas pequeñas.

Chamán: Persona a la cual se le atribuyen poderes especiales, como curaciones, comunicación con espíritus, habilidades adivinatorias, dominio del clima, etc.

Charro: Jinete que viste un traje compuesto por chaqueta corta y pantalón ajustado, camisa blanca y sombrero de ala ancha con copa en forma de cono.

Chilillo: Látigo formado por una vara delgada o por una tira de cuero trenzada y atada a un palo redondo y fino.

Chirriquitito: Muy pequeño.

Compadre: Padrino de bautizo de una criatura, respecto del padre o de la madre o bien de la madrina de ésta.

Conuco: Pequeña extensión de terreno destinada a la producción de dos o más cultivos, sin que prevalezca la importancia de un cultivo sobre el otro. Generalmente, la producción que se obtiene de los conucos está destinada al consumo del hogar.

Cretona: Tela fuerte, comúnmente de algodón, blanca o estampada.

Kuriara: Embarcación de vela y remo, similar a la canoa pero más ligera y más larga.

Matica: Plantita.

Milla: Medida de longitud marina que equivale a 1,85 metros.

Pilar: Descascarar los granos en el pilón, golpeándolos con una o con las dos manos o con majaderos largos de madera o de metal.

Ponerse bravo: Enojarse.

Quechua: Pueblo amerindio de las zonas andinas de Ecuador, Perú, Bolivia y el norte de Argentina.

Renquear: Andar o moverse como rengo, oscilando a un lado y a otro a trompicones.

Tobo: Balde.

Totumita: Pequeña vasija hecha con el fruto del totumo (árbol tropical americano, también llamado güira).

Voltear: Girar la cabeza o el cuerpo hacia atrás.

Xochimilco: Una de las dieciséis delegaciones del Distrito Federal (México D.F., la ciudad capital del país), ubicada al sur de la ciudad.

Los autores

Pablo Cabrera / *Argentina*

Nació en Buenos Aires, en 1975. Es dibujante. Realizó estudios de diseño y artes visuales. Sus dibujos han sido editados en medios locales como *Página 12, Perfil, Clarín, Los Inrockuptibles* y *Zona de obras* (España), a menudo se pueden ver sus cuadros sobre madera en diversas muestras colectivas e individuales.

Hanna Cuenca / *Colombia*

Desde chiquita le fascinaron las historias y cuando creció descubrió la forma más divertida y cálida de encontrarse con las personas: contar cuentos.

En 1994 ganó un concurso de cuentería para principiantes. Es comunicadora social de la Universidad Javeriana de Colombia y narradora desde 1996. Ha participado en festivales, en temporadas teatrales y en eventos desarrollados en diferentes ciudades de Colombia. Ha representado a su país en Chile, Venezuela, Argentina, España y Cuba. Actualmente, dirige el Festival Nacional de Cuenteros "Quiero Cuento" y la Corporación Gaia Lúdica y Cultural.

Cucha del Águila / *Perú*

Es una de las promotoras de la narración oral en Perú. Nació en Tingo María y vive en diferentes pueblos de la amazonía peruana. Creció rodeada de las historias que su familia y los pobladores de su ciudad cuentan.

Más tarde, en Francia, descubre la narración oral de cuentos como actividad artística. A fines de los años 80, llevó adelante proyectos de animación sobre el libro y la lectura en bibliotecas barriales de Nantes, Francia. También participó como narradora en espectáculos y festivales de cuentos.

Desde su regreso a Perú, en 1991, efectúa trabajos de investigación, monta espectáculos y dirige talleres sobre el patrimonio oral, el libro y la lectura.

Desde el año 2000, organiza en la ciudad de Lima el Festival Internacional de Narración Oral "Déjame que te cuente" junto a Marissa Amado de la Asociación Palique Cuenteros de España.

Ha participado en encuentros y festivales en Argentina, Brasil, Colombia, Chile, Francia, España y Paraguay.

Olga Drennen / *Argentina*

Nació un viernes de carnaval. Será por eso que siempre le gustaron tanto la música, el ruido y los disfraces. Y, como también le encantaban los libros, aprendió a leer cuentos antes de ir a la escuela. Por aquel entonces, ni imaginaba que iba a ser escritora.

Ella quería bailar. Pero como dijo alguna vez, algo se opuso: la balanza. Así que empezó a escribir. Y no paró. Sus primeros libros fueron de poesía para mayores; después escribió cuentos, leyendas y poesías para chicos. También tradujo obras de grandes autores para grandes lectores. Así, publicó muchos libros, entre ellos, *Relmú*; *Wunderding y otros escalofríos*; *Sombras y temblores*; *Leyendas que eran y son*; *El señor de la noche*; *Nadie lo puede negar*; *Los chirinfinfacos, Pasen y vean*; y también libros de texto como *Los que juegan con nosotros y Las palabras que viajan.*

Beatriz Falero / *México*

Ha hecho de la narración de cuentos su vida. Lleva en su apellido su destino: Falero, del idioma portugués -en español, "falar" se traduce en el verbo "hablar"- por declinación: Beatriz, la habladora.

Desde 1986 hasta la actualidad, se desempeña como directora del grupo del cual fue cofundadora: Narradores Orales de Santa Catarina, NAO. En 1991 fue presidenta fundadora de la Asociación Mexicana de Narradores Orales Escénicos, AMENA. En 1992 fundó La Casa del Cuento. En 1995 participó con Alas y Raíces para los Niños, CONACULTA. En 1999 fundó el programa "Cuentos y Cantos en Trajinera", Xochimilco. En 2001 participó de "Arcoiris" -ISSSTE-, un programa mediante el cual los artistas visitan a los enfermos alojados en hospitales.

Ha recibido reconocimientos por su labor en el ámbito de la

oralidad por parte de las siguientes instituciones: CIINOE, AMENA, D.D.F., NAO.

Ana Ximena Hidalgo Castellanos / *Venezuela*

Es narradora oral e ingeniera en Informática. Ha mostrado su trabajo como cuentacuentos en festivales y en eventos de oralidad en Venezuela, Colombia, Argentina y Chile. En el área de la informática, trabaja como desarrolladora multimedia. Actualmente, reside en la ciudad de Buenos Aires.

Juana La Rosa / *Argentina*

Es narradora y directora. Creadora e integrante del grupo "La banda cuentera". Premio Pregonero a Narrador Oral 1997 por su trayectoria, otorgado por la Fundación El Libro. Integra la Comisión Organizadora de los Encuentros Internacionales de Narración Oral en Argentina: Cuenteros y Cuentacuentos. Desde 1996 coordina, junto a Elva Marinangeli, el proyecto "Hacia una literatura más viva", en el Museo de Arte Español Enrique Larreta, destinado a niños y a jóvenes, y el ciclo "Cuento con Arte".

Moisés Mendelewicz / *Costa Rica*

Es hijo de inmigrantes polacos que vivían en Costa Rica, lugar en el cual él nació.

Se dedica a las artes escénicas y a las terapias psicocorporales dentro del Sistema Río Abierto.

Es considerado una de las figuras esenciales del movimiento iberoamericano de narración oral. Actualmente reside en México.

Juan Patricio Romero Plaza / *Chile*

Aunque su familia se dedicaba a la pesca, no heredó de su abuelo ni botes, ni redes, ni anzuelos. El legado, tal vez el más preciado de los que existen, consistió en la palabra, con la cual se pueden tejer y destejer historias, navegar por mundos imaginarios y espantar la soledad y los miedos.

Ha recopilado cuentos de pescadores, de buzos, del mar y de los animales que en él habitan. También ha creado bibliotecas itinerantes para acercar el libro y la lectura a los niños de sectores más desposeídos. Sus maestros en el arte de la narración fueron Daniel Hernández y Patricia Mix.

Índice

Esta edición de 3000 ejemplares se terminó de imprimir en el mes de abril del año 2007
en Artes Gráficas Piscis S.R.L., Junín 845 (1113) Buenos Aires, Argentina.